汪汪队立大功儿童安全救援故事书

冒险湾停电了

美国尼克儿童频道／著

安东尼／译

天 地 出 版 社 | TIANDI PRESS

在一个刮大风的下午，狗狗们正聚集在凯蒂的宠物乐园里，计划着给阿奇举办一场生日惊喜派对。

"必须得有彩带！"灰灰说。

"嗯，还得有生日蛋糕！"凯蒂补充道。

"但是有谁能缠住阿奇，不让他发现我们在秘密地准备派对呢？"天天问。

小砾说："毛毛！他很擅长做保密工作，不是吗？"

毛毛带着阿奇来到了公园里。

"风太大了！我们还是离开这里去找其他伙伴吧！"阿奇说道。

毛毛紧张地回答："不要！我的意思是……这里多好玩呀！而且我也没有什么秘密要隐瞒……"

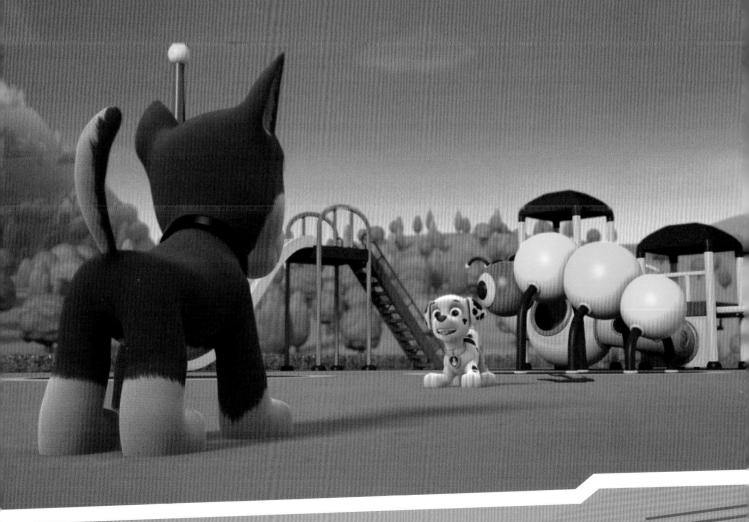

突然，风变得更猛了，
一下子把狗狗们从秋千上
刮倒在了地面上。

砰！

宠物乐园里，所有的狗狗都在热火朝天地为派对做准备。突然，灯全部熄灭了！

灰灰看着窗外，惊讶地说："街上的灯也都灭了。这是怎么回事呢？"

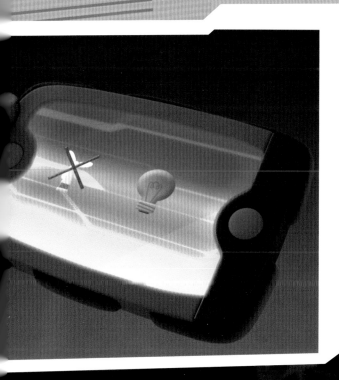

　　莱德看了一下他的平板电脑，说："如果是全城停电，那一定是杰克山上的风力发电机出了问题。"

　　"没有电，我们就不能放音乐了！"天天叫道。

　　"也没有灯光了！我们就没法为阿奇举办生日派对了！"小砾沮丧地说。

"不会的！汪汪队，马上到塔台集合！"莱德说着，握紧了平板电脑。

狗狗们一起冲向塔台，但是那里也停电了，电梯没法使用。

莱德说："毛毛，你用云梯把我送上塔台。"

毛毛马上架起了他的云梯，让莱德爬上了塔台。

莱德观察着远程监控画面。"原来是一架风车的叶片坏掉了，难怪会停电。"

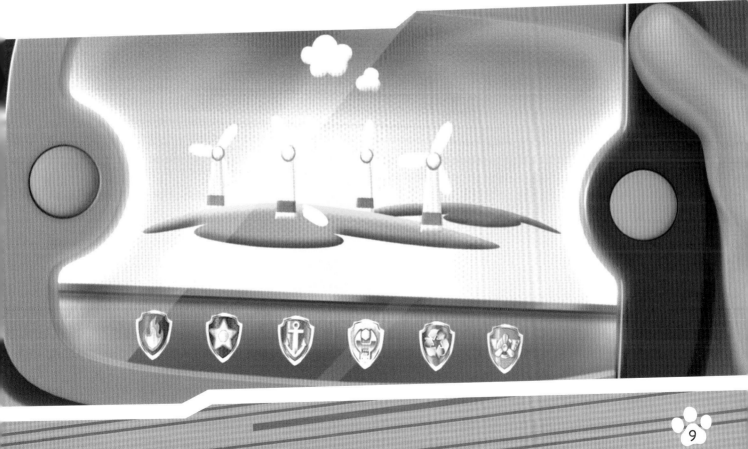

"狗狗们，我们遇到了紧急情况。灰灰，我需要你在卡车上找到能修复风车叶片的工具。"莱德说。

"毛毛，我们要用你的云梯爬上风车。"

"阿奇，交通信号灯肯定也坏了，我们需要你用警笛和扩音器来指挥交通！"

汪汪队——
来帮忙！

莱德悄悄地说："天天、小砾和路马，你们留下来准备派对。"狗狗们都开心地点头。

"马上出发！"其他汪汪队员喊道。

天天、小砾和路马留在了塔台。

天天说道："咱们现在就去准备派对吧！"

路马问："没有电，我们能做些什么呢？"

"我们在黑暗中也能举办派对！"小砾说道。

天天欢呼着："没错！我们就给阿奇准备一场最特别的乌漆墨黑生日派对！"

13

在中央大街上，信号灯没有电不能使用，整个街道堵得水泄不通！

古威市长很担忧："天越来越黑了，我们却连马路都过不了了。"

这时，阿奇赶来了，他立刻用扩音器开始指挥交通。

阿奇喊道："大家注意！所有行人走这边，快！所有车辆走那边，停！"

所有的车辆都按照阿奇的指挥行驶。不一会儿，交通就变得顺畅起来，行人也能安全穿过马路了。

莱德、毛毛和灰灰赶到风车旁。

"我们得让发电机尽快恢复运行，这样阿奇的生日派对才能顺利进行。"莱德一边说，一边把损坏的风车叶片取了下来。

灰灰说："我们可以用路马的旧冲浪板来修补它！旧物别丢掉，还有大用处！"

毛毛架起云梯，让灰灰爬了上去。灰灰把旧冲浪板安在风车上，随着风力加大，风车又开始重新转动起来了。

"我们做到了！"莱德、毛毛和灰灰欢呼着。

宠物乐园里，当灯光重新亮起来的时候，狗狗们正在欢乐地玩耍。

"莱德和狗狗们成功啦！"凯蒂开心地欢呼。

"但是来不及烘焙生日蛋糕了啊！"天天很担忧。

"我有一个主意！"凯蒂神秘地说。

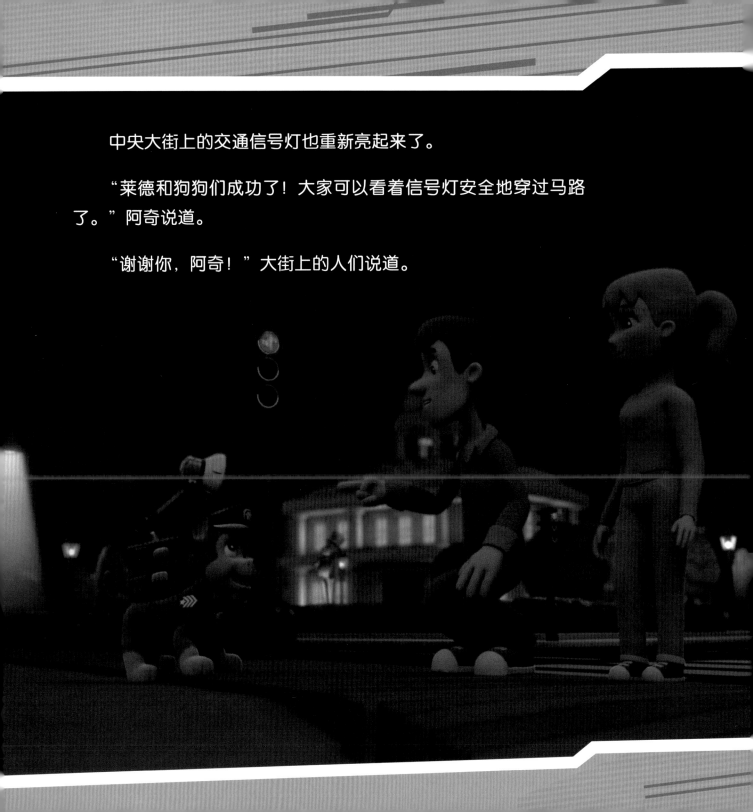

中央大街上的交通信号灯也重新亮起来了。

"莱德和狗狗们成功了！大家可以看着信号灯安全地穿过马路了。"阿奇说道。

"谢谢你，阿奇！"大街上的人们说道。

就在这时，莱德打来了电话："阿奇，计划有变，我们需要你立刻赶往凯蒂家。"

"立刻出发！"阿奇回答。

莱德告诉天天："阿奇正在赶来的路上，我们也在往回走。"

天天叫道："太好了！惊喜派对已经准备好了！"

当阿奇赶到凯蒂的宠物乐园时，屋内一片漆黑。

"喂，有人吗？"阿奇喊道。

"哟吼！"所有人都欢呼着从桌子后面跳了出来，"生日快乐，阿奇！"

"你们摸黑为我准备了一场生日派对？"阿奇很激动。

"要惊喜，就找汪汪队！"莱德大笑着说。

凯蒂说道："我们没办法为你准备真正的生日蛋糕，但我希望你能喜欢这个狗狗饼干蛋糕！"

莱德说："这是阿奇的生日，但你们都是最棒的狗狗！咱们开始庆祝吧！"

阿奇吹灭了蜡烛，所有狗狗都欢呼了起来，他们开心地吃起了这个特别的生日蛋糕。

汪汪队救援行动指南

冒险湾停电行动指南

小朋友，你还记得聪明勇敢的汪汪队今天完成了什么任务吗？
他们是怎么做的呢？我们一起来看今天的行动指南吧！

发现问题

 冒险湾全城停电，我们该怎么办？

我有办法

 检查发电机风车坏掉的扇叶。

用旧冲浪板
修补风车叶片。

升起消防云梯，让
灰灰爬上发电机风车。

去中央大街指
挥行人和车辆。

留在塔台准备阿
奇的生日派对。

成功啦

要惊喜，就找汪汪队！

汪汪队功劳榜

今天是阿奇的生日，却意外发生全城停电，狗狗们不但修好了发电风车，还准备好了惊喜派对。我们快来把狗狗和他们分别完成的任务连起来，表扬他们立下的功劳吧！

 指挥中央大街交通

 准备惊喜生日派对

 把莱德送上塔台

 用旧冲浪板修补风车叶片

 架起云梯把灰灰送上风车

小朋友，你还记得这个故事都说了什么吗？下面就请你按故事发生的先后把正确的排列顺序填到括号里吧！

(   ) → (   ) → (   ) → (   )

快乐迷宫

阿奇不慎进入了一座地下迷宫，你能帮他绕过小动物，找出返回地面的正确路线吗？

快乐涂色

小朋友，快拿起你手中的画笔，给下图中的人物涂上鲜艳的色彩吧！

图书在版编目（CIP）数据

汪汪队立大功儿童安全救援故事书. 冒险湾停电了 /
美国尼克儿童频道著；安东尼译. — 成都：天地出版
社, 2017.3

ISBN 978-7-5455-2367-6

Ⅰ.①汪… Ⅱ.①美… ②安… Ⅲ.①儿童故事 – 图
画故事 – 美国 – 现代 Ⅳ.①I712.85

中国版本图书馆CIP数据核字(2016)第283531号

出品策划：文轩出品

网　　址：http://www.huaxiabooks.com

著作权登记号 图字：21-2017-04-13 号

冒险湾停电了

出 品 人	杨　政	总 经 销	新华文轩出版传媒股份有限公司
策划编辑	李红珍　戴迪玲	印　　刷	北京瑞禾彩色印刷有限公司
责任编辑	陈文龙　夏　杰	开　　本	889×1194　1/20
特邀编辑	张　剑	印　　张	1.6
版权编辑	郭　淼	字　　数	10 千字
装帧设计	谭启平	版　　次	2017 年 3 月第 1 版
责任印制	董建臣	印　　次	2017 年 6 月第 3 次印刷
出版发行	天地出版社	书　　号	ISBN 978-7-5455-2367-6
	（成都市槐树街 2 号　邮政编码：610014）	定　　价	12.80 元
网　　址	http://www.tiandiph.com		